At the Animal Doctor

Beim Tierarzt

Gemalt von Sabine Damke
Erzählt von Ursel Scheffler

Otto Maier Ravensburg

Gerade als Frau Färber mit Toni
und Anne zum Tierarzt will, kommt Besuch.
„Macht nichts!" sagt Anne. „Dann
gehen wir eben mit Purzel alleine hin."
Sie packen den Hasen in eine Tasche
und ziehen los.

Im Wartezimmer sind schon viele Leute.
Sie unterhalten sich über ihre Tiere.
Ein großer Hund sitzt in der Ecke und zittert.
Auch die Katze hat Angst.
Wovor fürchten sie sich?
Der Arzt soll ihnen doch helfen!
Aber wie soll man das einem heiseren Papagei
oder einem kranken Hamster erklären?

Die Tür geht auf. Ein Mann kommt herein und ruft:
„Kann ich gleich drankommen? Das ist ein Notfall!
Die Ente hat sich an meinem
Angelhaken festgebissen.
Ich habe Angst, daß sie erstickt!"
Die Ente quakt jämmerlich.
Alle sind einverstanden,
daß die Ente nicht warten muß.

Dem großen Hund in der Ecke hat alles zu lange gedauert.
„Pfui, Leo!" sagt sein Frauchen plötzlich entsetzt.
Vor lauter Angst hat Leo eine Pfütze gemacht.
Seinem Frauchen ist das sehr peinlich.
„Macht nichts!" sagt die Sprechstundenhilfe.
„So was kommt öfter vor. Der nächste bitte!"

Leo macht sich ganz klein.
Aber es nützt alles nichts.
Jetzt muß er ins Sprechzimmer.

Leo sträubt sich.
„Stell dich nicht so an, Leo. Es tut überhaupt nicht weh!"
sagt Dr. Wolf. Leo bekommt Ohrentropfen.
Das geht so schnell, daß es Leo gar nicht bemerkt.
„Und deshalb machst du so ein Theater!" sagt sein Frauchen
beim Hinausgehen. Leo zerrt an der Leine
und rennt ins Freie, so schnell er kann.

Das ist der Papagei Joko.
Er ist erkältet
und kann nicht mehr sprechen,
nur noch heiser husten.
Der Arzt verschreibt ihm ein Mittel,
das unter das Futter gemischt wird.
Joko ist sehr aufgeregt.
Er will nicht in den Käfig zurück.
Er fliegt auf die Lampe.
Wie gut, daß das Fenster zu ist.
Doch der Doktor kann ihn einfangen.

Jetzt ist der Igel dran.
Er bekommt eine Spritze gegen Würmer.
Und dann wird er gepudert, weil er Flöhe hat.
„Gib ihm Katzenfutter aus der Dose.
So bringst du ihn am besten über den Winter!"
rät Dr. Wolf dem Jungen, der den kleinen Igel gefunden hat.

Endlich sind Anne und Toni mit ihrem Hasen dran.
„Euer Hase ist aber groß geworden!" staunt Dr. Wolf.
Er untersucht Purzel und sagt: „Und gesund ist er auch!
Wer macht seinen Stall immer sauber?"
„Ich", sagt Toni. „Und manchmal die Mama."
„Und ich hole immer das Futter", sagt Anne.
„Jetzt bekommt er noch seine Spritze",
sagt Dr. Wolf.

Toni hält Purzel fest, während der Doktor die Spritze aufzieht.
„Du kannst ruhig wieder hinschauen!" sagt Dr. Wolf.
„Es ist schon alles vorbei! Und dein Hase hat es kaum gespürt."
„Das ging wirklich schnell!" sagt Anne. „Jetzt kriegt er
seine Belohnung."
Aber Purzel mag nicht fressen.

„Die meisten Tiere fressen hier nichts",
sagt Dr. Wolf und lacht.
„Aber zu Hause wird es ihm
bestimmt schmecken!"

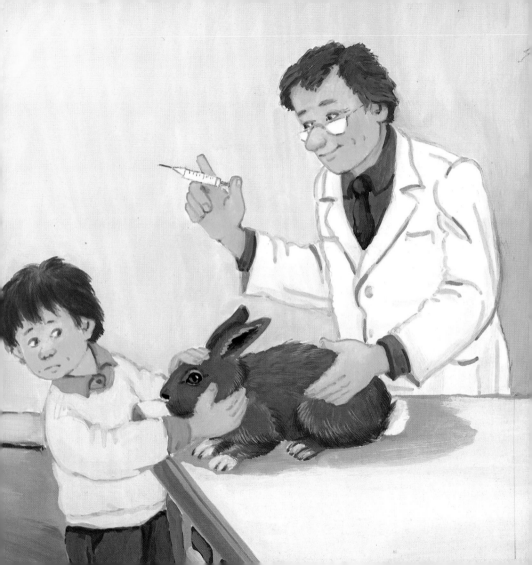

„So, das hätten wir geschafft!" sagt Anne.
Dann machen sie sich schnell auf den Heimweg.

Als sie nach Hause kommen,
hat Mama immer noch Besuch.
Da spielen Toni und Anne Tierarzt.
„Das Krokodil hat Halsweh", sagt Anne.
„Holst du mir einen Schal?"
„Tut mir leid. Erst muß das Zebra
ins Bett. Es hat schreckliche
Bauchschmerzen!" antwortet Toni.

Und Purzel? Der sitzt unterm Tisch und frißt seine Möhre
in aller Ruhe ratzeputz auf.

Kleine Ravensburger

8 7 6   92 91 90

Kleine Ravensburger Nr. 3
© 1986 by Ravensburger Buchverlag Otto Maier GmbH
Umschlaggestaltung: Kirsch & Korn, Tettnang
Redaktion: Gerlinde Wiencirz
Printed in Germany · ISBN 3-473-33103-1